Heilige Plaatsen

Amritsar

geschreven

Beryl Dhanjal

Corona

Verantwoording

Kaarten: Jillian Luff van Bitmap Graphics.

De uitgever en de schrijver willen Saviour Pirotta en Eleanor
Nesbitt danken voor de waardevolle adviezen die zij gaven bij
het uitgeven van deze reeks.

Omslag voor: Grote foto – De vijver en de Hari Mandir; inzet
links: Nihang-krijger. De Nihangs stonden in de achttiende
eeuw vooral bekend om hun onverschrokkenheid en moed;
inzet rechts – Deel van een muur in de Gouden Tempel.

Omslag achter: Balkon in de Gouden Tempel.

Schutbladen: Voor – Glazen en gouden decoraties op de
eerste verdieping van de Hari Mandir; achter – De Hari Mandir
bij avond.

Titelpagina: Fresco met afbeelding van goeroe Nanak, de
eerste goeroe.

Inhoudspagina: Muurschildering op de eerste verdieping van
de Gouden Tempel.

Alle foto's in dit boek zijn afgedrukt met toestemming van
Helene Rogers/Trip, met uitzondering van:
pagina 10 rechtsonder: Phil en Val Emmett; pagina 34 boven:
Ann en Bury Peerless, onder: Liba Taylor, de Hutchison
Library; pagina 35 boven: Phil en Val Emmett, onder: Liba
Taylor, de Hutchison Library; pagina 36 boven: Ann en Bury
Peerless, onder: de Hutchison Library; pagina 37 Liba Taylor,
de Hutchison Library.

STICHTING NEDERLANDSE
KINDERJURY
2002

Inhoud

Vetgedrukte woorden in de tekst
worden aan het eind van elk hoofdstuk
in een **woordenlijst** uitgelegd.

Inleiding

Amritsar is voor de 16 miljoen sikhs wat Rome is voor de katholieken. De heilige stad ligt in het noordwesten van India in de deelstaat Punjab, het land van de sikhs. De stad ligt op een grote laagvlakte die dwars door Pakistan loopt en zich uitstrekt tot aan de noordelijker gelegen gebergtes van de Himalaya en de Karakoram. Het vruchtbare land wordt doorsneden door vijf grote zijrivieren van de Indus waar het gebied en de deelstaat Punjab hun naam aan te danken hebben. In het Punjabi betekent *punj* namelijk 'vijf' en *ab* betekent 'water' in het Perzisch. De meeste sikhs spreken Punjabi, en een oude vorm van deze taal vinden we terug in hun heilige **geschriften**.

Bij de naam Amritsar komt onmiddellijk het beeld naar boven van de grote vijver met de prachtige Gouden Tempel. Amritsar betekent 'Vijver van Nectar' en men zegt dat het water mensen die erin baden **onsterfelijk** maakt. Maar dat is niet de enige reden waarom de stad zo belangrijk is voor de sikhs. In de Gouden Tempel bevindt zich namelijk de originele **Goeroe** Granth-Sahib, de sikh-bijbel.

▼ Pelgrims wandelen over de brug naar de Gouden Tempel.

Amritsar werd in 1577 gesticht door Ram-das, de vierde van de tien sikh-goeroe's, en de stad heeft in de loop der tijd vele veranderingen ondergaan. Zo is de stad enkele malen verwoest en weer opnieuw opgebouwd. Het is nu een drukke moderne stad, en hoewel sikhs niet op **pelgrimstocht** hoeven te gaan komen ze jaarlijks met vele duizenden uit de hele wereld naar de Gouden Tempel en de **heiligdommen** in Amritsar.

Woordenlijst

geschriften Heilige schrift.

goeroe Leermeester.

heiligdommen Bijzondere plekken waar een heilige heeft geleefd, op bezoek is geweest of ligt begraven.

onsterfelijk Het eeuwige leven hebbend.

pelgrimstocht Reis naar een voor gelovigen belangrijke plaats.

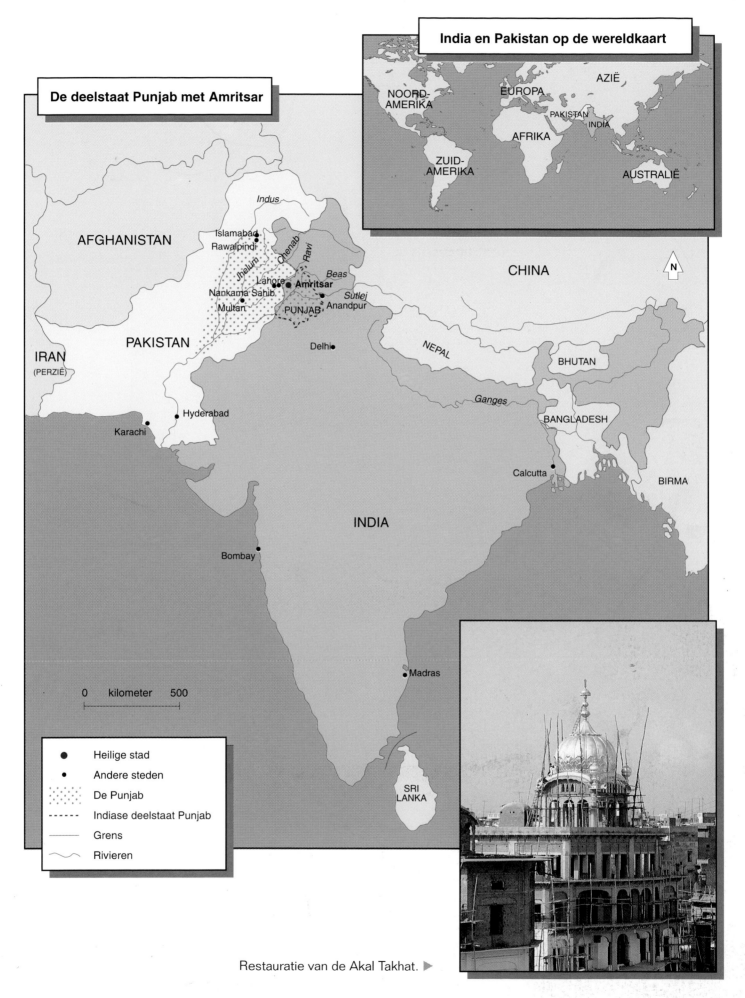

India en Pakistan op de wereldkaart

NOORD-AMERIKA
EUROPA
AZIË
PAKISTAN
INDIA
AFRIKA
ZUID-AMERIKA
AUSTRALIË

De deelstaat Punjab met Amritsar

AFGHANISTAN

Indus
Islamabad
Rawalpindi
Chenab
Jhelum
Ravi
Beas
Lahore
Amritsar
Nankama Sahib
Sutlej
Multan
Anandpur
PUNJAB

IRAN
(PERZIË)

PAKISTAN

CHINA

N

Delhi

NEPAL

BHUTAN

Ganges

BANGLADESH

Hyderabad

Karachi

Calcutta

BIRMA

INDIA

Bombay

Madras

SRI LANKA

0   kilometer   500

● Heilige stad
• Andere steden
⣿ De Punjab
--- Indiase deelstaat Punjab
— Grens
∿ Rivieren

Restauratie van de Akal Takhat. ▶

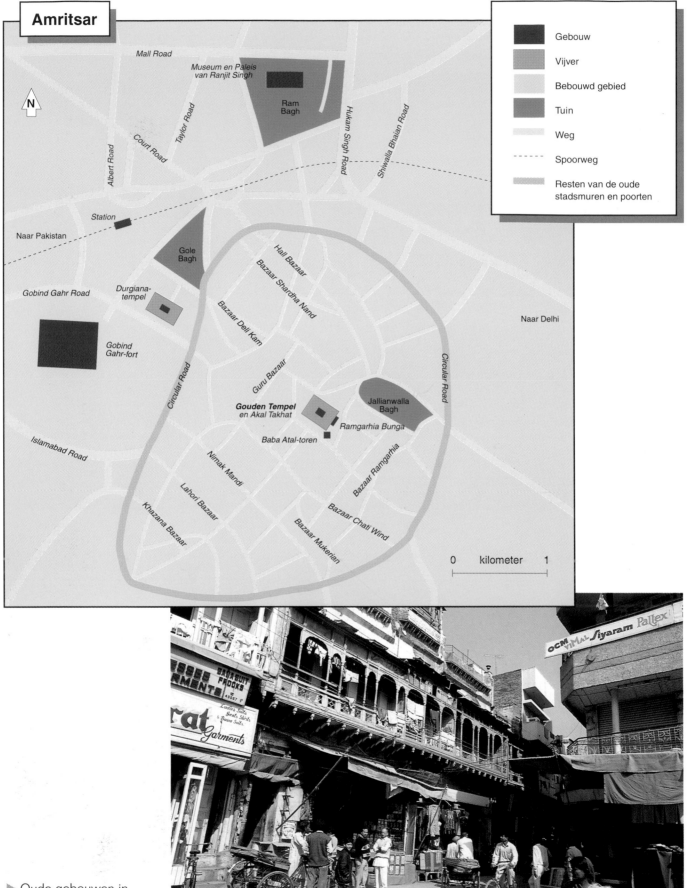

Amritsar

Mall Road

Museum en Paleis
van Ranjit Singh

Ram
Bagh

N

Taylor Road

Court Road

Albert Road

Hukam Singh Road

Shiwalla Bhaian Road

Station

Naar Pakistan

Gole
Bagh

Hall Bazaar

Bazaar Shardha Nand

Gobind Gahr Road

Durgiana-
tempel

Bazaar Deli Kam

Naar Delhi

Gobind
Gahr-fort

Circular Road

Guru Bazaar

Jallianwalla
Bagh

Circular Road

Gouden Tempel
en Akal Takhat

Ramgarhia Bunga

Islamabad Road

Baba Atal-toren

Nimak Mandi

Bazaar Ramgarhia

Lahori Bazaar

Bazaar Chati Wind

Khazana Bazaar

Bazaar Mukerian

0   kilometer   1

	Gebouw
	Vijver
	Bebouwd gebied
	Tuin
	Weg
- - -	Spoorweg
	Resten van de oude stadsmuren en poorten

▶ Oude gebouwen in
de nauwe straatjes
van Amritsar.

De goeroe's en hun leer

De eerste goeroe

De eerste leermeester en stichter van het sikh-geloof was goeroe Nanak. Hij werd in 1469 geboren in Nankana Sahib, een plaats op 55 km van Amritsar, vlakbij Lahore, dat nu in Pakistan ligt.

Goeroe Nanak werd geboren in een **hindoe**-gezin in een tijd dat de Punjab geregeerd werd door **moslims**. Hindoes en moslims hebben het niet altijd even goed met elkaar kunnen vinden.

Rond de geboorte van goeroe Nanak doen allerlei verhalen de ronde, bijvoorbeeld over wonderbaarlijke tekens die erop wezen dat er een bijzonder iemand op aarde gekomen was. In zijn jeugd zou zich een aantal wonderen voltrokken hebben. Zo moest Nanak een keer op de buffels van zijn vader passen, maar hij viel in slaap. De buffels verwoestten de gewassen van de buurman. Maar toen een ambtenaar de schade kwam opnemen stonden alle gewassen er weer prima bij.

◀ Goeroe Nanak met de negen andere goeroes. Onder zijn baard een kopie van de Goeroe Granth-Sahib onder een doek (zie pagina 20).

▼ Volgens een sikh-overlevering redde goeroe Nanak de moslimmuzikant Mardana uit handen van een boze geest die hem levend in een pan met kokend water dreigde te stoppen.

Ook als jongeman maakte de goeroe vreemde dingen mee. De overlevering verhaalt dat hij naar het Hof van God werd gebracht waar hem werd verteld dat hij Gods woord moest gaan verbreiden. Goeroe Nanak reisde heel India door, in het gezelschap van de islamitische muzikant Mardana en een hindoe die Bala heette. De goeroe zong overal lofzangen en verzen om zijn leer te verkondigen. Muziek speelt in de gebedsdiensten van de sikhs nog steeds een belangrijke rol.

De leer van goeroe Nanak

Goeroe Nanak verkondigde dat mensen de Naam van God gedachtig moesten zijn omdat zijn Naam alles is dat we van Hem weten en dat we over Hem kunnen zeggen. Hij riep de mensen op om te **mediteren** over Zijn eigenschappen en te leven naar Zijn wetten, die de wetten zijn van het universum waarin wij leven. Dan zullen wij, als God het wil, met Hem verenigd worden. Dat wil niet zeggen naar de hemel gaan, maar een soort vrede en harmonie bereiken tijdens ons leven op aarde.

Goeroe Nanak geloofde dat het werkelijke geloof bestaat uit de waarheid die we in ons hart dragen. Hij leerde dat we elke dag weer moesten zoeken naar waarheid en eenvoud en het goede moesten nastreven. Hij geloofde niet in ingewikkelde **rituelen**, het aanbidden van beelden of het maken van pelgrimsreizen. Een van zijn eerste leerstellingen was dat God belangrijker was dan godsdienstige ceremonieën.

Goeroe Nanak kreeg veel volgelingen. In de taal van Punjab betekent sikh 'discipel'. De goeroe was een belangrijk maatschappelijk hervormer en zeer geliefd. Hij vond dat alle mensen gelijk waren, gaf alle sikhs de achternaam 'Singh' (Leeuw) en richtte gezamenlijke eetplaatsen op in sikhtempels.

De laatste goeroe

Voor goeroe Nanak stierf vroeg hij goeroe Angad hem op te volgen. Er zijn in totaal 10 sikh-goeroes geweest. De vierde goeroe, Ram-das, stichtte in 1577 de heilige stad Amritsar (zie pagina 13). De laatste goeroe, Gobind Singh, stierf in 1708.

Daarna werden de sikhgemeenschappen bestuurd op gezag van de heilige geschriften, de zogenaamde Goeroe Granth-Sahib (zie pagina 18-20). De eerste Goeroe Granth-Sahib werd door de vijfde goeroe Arjan in de Hari Mandir in Amritsar geplaatst.

De goeroes waren aanvankelijk vredelievende heiligen die getuigden van hun liefde voor God en hun ideeën tot uitdrukking brachten in de vorm van prachtige gedichten. Later werden ze meer een soort prinsen en nam hun politieke macht toe.

Goeroe Ram-das ▲

De goeroes

Nanak werd in 1499 goeroe. Hieronder staan namen, geboorte- en sterfjaar van de goeroes die de leiding hadden over de sikh-gemeenschap.

Goeroe Nanak	1469-1539
Goeroe Angad	1504-1552
Goeroe Amar-das	1479-1574
Goeroe Ram-das	1534-1581
Goeroe Arjan	1563-1606
Goeroe Hargobind	1595-1644
Goeroe Har Rai	1630-1661
Goeroe Har Krishan	1656-1664
Goeroe Tegh Bahadur	1621-1675
Goeroe Gobind Singh	1666-1708

De Khalsa

In 1699 riep goeroe Gobind Singh zijn volgelingen bij elkaar in de stad Anandpur. Daar formeerde hij een speciale groep, de zogenaamde Khalsa, dat meestal vertaald wordt met de 'zuiveren'. De eerste vijf leden van de Khalsa stonden bekend als de *Panj Piare*, 'de Vijf Beminden'.

Deze sikhs dienden te leven volgens bepaalde door de goeroe opgestelde regels. Hij liet hen vijf dingen dragen waaraan anderen konden zien dat ze tot de Khalsa behoorden. Dat zijn de zogenaamde *Panj Kakke* of de 'vijf K's' omdat elk van de vijf symbolen met de letter 'k' begon.

Tegenwoordig mogen zowel vrouwen als mannen toetreden tot de Khalsa en de Goeroe Granth-Sahib verzorgen en lezen (zie pagina 20).

▲ Portret van goeroe Gobind Singh op de achterkant van een vrachtwagen in Amritsar. In de stad kom je overal afbeeldingen van goeroes tegen.

Voordat een sikh lid wordt van de Khalsa, moet hij of zij beloven zich aan de sikh-regels te zullen houden, naar voorbeeld van *Panj Piare*. En net als de eerste leden moeten ook zij van de *amrit*, de heilige nectar of het levenswater, drinken. Het bestaat uit water waar met een zwaard suiker doorheen wordt geroerd. Zoals de suiker oplost in het water moet ook het onderscheid tussen mensen verdwijnen. Sikhs geloven dat we in Gods ogen allemaal gelijk zijn en in eendracht en harmonie met elkaar moeten leven.

De Khalsa-symbolen – *Panj Kakke*

Kes Een baard en ongeknipt haar dat weggestopt wordt onder een tulband. Daarmee wordt de aanvaarding van Gods gaven gesymboliseerd.

Kanga Een houten kam om de Kes in orde te maken. Symboliseert de discipline.

Kade Een metalen armband die om de rechterpols wordt gedragen als symbool van de eenheid.

Kirpan Een klein zwaard dat staat voor gerechtigheid en geestelijke kracht.

Kacha Een korte broek die door soldaten wordt gedragen en die de bereidheid tot actie symboliseert.

▲ Kade's (metalen armbanden) te koop in Amritsar.

▲ Tulbandwinkel in Amritsar. De tulband behoort niet tot de vijf K's maar veel mannen dragen er een om hun haar mee te bedekken.

Woordenlijst

hindoe Aanhanger van het hindoeïsme, een godsdienst die ongeveer 4000 jaar geleden in India is ontstaan.

mediteren In zichzelf keren om de diepste werkelijkheid te ervaren.

moslim Aanhanger van de islam, een godsdienst die ongeveer 1300 jaar geleden in India werd geïntroduceerd.

rituelen Alle overgeleverde religieuze gebruiken, plechtigheden en ceremonieën.

▲ Een lid van de Khalsa met de vijf K's tijdens een plechtigheid in Engeland.

De stichting van Amritsar

Tussen 1526 en 1858 – India werd in die tijd door moslims bestuurd – hebben sikh-goeroes een groot aantal steden gesticht, waaronder Amritsar. Het verhaal wil dat de grond waarop Amritsar is gebouwd door keizer Akbar werd geschonken aan de derde goeroe, Amar-das. Of het werkelijk zo is gegaan weet niemand. Maar het staat vast dat Amritsar door Amar-das is gesticht, vlakbij een grote vijver met water dat heilzame krachten zou bezitten.

De vijver der wonderen

Er bestaan vele sikh-legenden en verhalen over Amritsar, en met name over de vijver (zie pagina's 32-33). Volgens de overlevering zou er op de plek waar Amritsar ligt altijd een *amritkund* zijn geweest, een groot meer vol nectar der onsterfelijkheid. Dat soort verhalen vinden we niet alleen bij de sikhs, maar ook bij andere Indiase religies.

Volgens de overlevering leverden de hindoe-god Ram en zijn zonen slag bij de heilige stad Amritsar. Ram werd gedood maar kwam op wonderbaarlijke wijze weer tot leven nadat men hem *amrit* (nectar) te drinken had gegeven. Volgens sommige mensen heeft de Boeddha, de stichter van het boeddhisme, ook de vijver bezocht. En de sikhs geloven dat goeroe Amar-das de zieke goeroe Angad genas van een huidziekte met een geneeskrachtig kruid dat langs de oever van de vijver groeide. Amritsar is blijkbaar van grote betekenis geweest voor verschillende religies.

Wie heeft de heilige stad gebouwd?

Goeroe Amar-das heeft Amritsar niet zelf gebouwd. Dat heeft hij overgelaten aan zijn schoonzoon Ram-das, de vierde goeroe. Het verhaal gaat dat goeroe Amar-das Ram-das en een andere schoonzoon wilde testen om te kijken wie het meest geschikt was om hem op te volgen. Hij liet beide jongemannen een verhoging bouwen. Toen die klaar waren zei hij tegen zijn schoonzoons dat de verhogingen niet deugden en gaf beiden opdracht ze weer af te breken. De ene schoonzoon ontstak in woede en weigerde de opdracht uit te voeren, terwijl Ram-das zonder mokken deed wat hem opgedragen was.

Maar goeroe Amar-das vond dat nog niet voldoende. Hij liet Ram-das de verhoging nog zeven keer opbouwen voor hij tevreden was. Toen verklaarde Amar-das dat er na hem nog zeven goeroes de troon zouden bestijgen, en dat de sikhs daarna geen leider meer zouden krijgen in de vorm van een mens van vlees en bloed.

Ram-das laat de vijvers aanleggen

Na de verhogingen begon Ram-das met de bouw van de heilige stad Amritsar. Hij liet zich daarbij helpen door een aantal oudere sikhs die veel aanzien genoten. Hij liet om te beginnen een nieuwe vijver graven die hij Santokhsar noemde, naar een sikh-volgeling die Santokha van Peshawar heette. *Santokh* betekent 'tevredenheid'. Maar voordat de vijver goed en wel klaar was vroeg de goeroe aan Ram-das om een andere vijver aan te leggen op een lager gelegen stuk grond ten oosten van de net aangelegde vijver. Dit zou de Amritsar worden, de vijver met nectar die mensen onsterfelijk maakt.

Bij de plek waar de vijver moest komen stond een **jujuba**-boom met de naam Dukhbanjani Ber. Die boom staat er nog steeds. Men huurde arbeiders in om de vijver te graven maar er waren ook veel sikh-volgelingen die meehielpen. De aanleg trok handelaren en kooplieden aan die de werklui van de nodige spullen voorzagen. Er werden bronnen geslagen, huizen gebouwd en markten opgezet. Al gauw ontstond er een kleine stad. Goeroe Amar-das stierf in 1574. Hij werd opgevolgd door Ram-das en onder zijn leiding werd de vijver in 1577 voltooid.

▲ De Dukhbanjani Ber bij de heilige vijver.

De tempel in de vijver

In 1581 werd Arjan goeroe. Hij liet de oever van de heilige vijver verharden en in de vijver liet hij een tempel bouwen. Over de tempel doen veel verhalen de ronde. Volgens de sikhs was het een ontwerp van de goeroe die ook zelf de eerste steen legde. Maar anderen geloven dat die gelegd werd door Mian Mir, een moslimheilige uit Lahore.

Volgens de overlevering legde hij de steen scheef neer. Een metselaar legde hem recht maar de heilige vond dat jammer. Want als de metselaar de steen scheef had laten liggen zou de tempel voor altijd zijn blijven staan. Maar nu zou de tempel in de toekomst verwoest worden en opnieuw opgebouwd moeten worden. De heilige kreeg meer dan gelijk: de tempel zou drie keer verwoest en opnieuw opgebouwd worden. De meeste mensen kennen hem als de Gouden Tempel, maar de sikhs noemen de tempel Darbar Sahib, het Hof van de Heer, of Hari Mandir Sahib, de Tempel Gods.

De Akal Takhat

Onder goeroe Arjan groeide Amritsar uit tot een welvarende stad. Er werden nieuwe huizen gebouwd en nog meer vijvers en tuinen aangelegd. Goeroe Arjan kwam op tragische wijze aan zijn einde. Nadat er problemen ontstaan waren met de moslimvorst Jehangir werd de goeroe in 1606 in Lahore terechtgesteld. Zo werd hij een van de vele sikh-**martelaren**.

De dood van de goeroe bracht veel veranderingen teweeg in Amritsar. Arjans zoon Hargobind werd de zesde goeroe. Hij vond dat hij voor zijn geloof moest opkomen en zorgde ervoor dat de sikh-gemeenschap nog sterker werd. Hij droeg twee zwaarden: het ene symboliseerde zijn kracht als geestelijk leider en het andere zijn wereldlijk gezag. Hij was niet meer alleen een heilige, zoals zijn voorgangers, maar ook een prins.

Deze verandering zorgde binnen Amritsar voor nieuwe ontwikkelingen. Ongeveer 80 meter van de Hari Mandir werd een verhoging opgericht met bovenop een gebouw: de Akal Takhat (de Troon van de Tijdloze).

▲ De Akal Takhat met zijn gouden koepel. Het gebouw liep in 1984 grote schade op (zie pagina 15) en staat daarom in de steigers.

Het nieuwe gebouw bood onderdak aan een gerechtshof en fungeerde als regeringscentrum. Nog steeds worden er in de Akal Takhat beslissingen genomen en orders uitgevaardigd door het religieuze sikhs-parlement dat in het gebouw zetelt.

Het krachtdadig optreden van goeroe Hargobind leidde echter tot conflicten met de moslimvorsten. Hij vertrok en was de laatste goeroe die regeerde vanuit Amritsar. De volgende vier goeroes zouden vanuit een andere stad regeren. De laatste goeroe was Gobind Singh. Hij liet het toezicht over de zaken in de Hari Mandir over aan zijn vriend Bhai Mani Singh. Toen de goeroe in 1708 overleed droeg hij het gezag van goeroe Gobind Singh op diens uitdrukkelijke wens over aan de Goeroe Granth Sahib, de heilige schrift van de sikhs.

Woordenlijst

jujuba Oosterse boom met besachtige steenvruchten.

martelaren Mensen die vanwege hun geloof zijn gedood.

Vragen en opdrachten

Er bestaan veel verhalen over de wonderen die bij de vijver en de Hari Mandir gebeurd zouden zijn (zie het verhaal op pagina 32). Wat is een wonder? Ken je een verhaal over een wonder dat zich in onze tijd heeft voorgedaan?

Na de goeroes

Na de dood van de laatste goeroe had de Punjab ernstig te lijden door het zwakke optreden van de Mogol-keizers, de invasies vanuit Perzië en Afghanistan en de verwoestingen die werden aangericht. Amritsar was bij tijden vrijwel helemaal verlaten. De sikhs raakten verdeeld in groepen, zogenaamde *misls*, die elk hun eigen *misldar*, krijgsheer, hadden. Er stonden twee grote leiders op, Jassa Singh Ramgarhia en Jassa Singh Ahluwalia. Jassa Singh Ramgarhia liet bij Amritsar een sterk fort bouwen: Ram Gahr – Fort van God – waar hij het laatste deel van zijn naam aan ontleende. Deze twee krachtige leiders maakten van de sikhs weer een machtig volk. Het moslimrijk van de Mogol-keizers raakte tegen het eind van de 18de eeuw in verval en de macht van de sikhs nam toe.

▲ Jassa Singh Ramgarhia, een van de twee grote sikh-leiders. & pukker

De groei van Amritsar

Amritsar kwam de moeilijkheden langzaam maar zeker te boven. In 1776 waren de vijver, de Hari Mandir, de Goeroes-brug en de poort Darshani Darwaza helemaal klaar. Rond de vijver werden nieuwe heiligdommen gebouwd.

De verschillende sikh-groeperingen bouwden huizen in Amritsar en richtten allemaal hun eigen kleine forten met verdedigingsmuren op. De verschillende gebiedjes die zo ontstonden werden *katra's* genoemd.

▼ De Ramgarhia Bunga staat er nog steeds. De residentie werd pal aan het water van de heilige vijver gebouwd.

▲ De grote platte steen in de Ramgarhia Bunga waarop de Mogol-keizers gekroond werden.

De *katra's* werden genoemd naar hun oprichter. Tegenwoordig is *katra* de benaming voor een wijk met een markt. *Katra's* vind je in geen enkele andere stad, alleen maar in Amritsar.

In 1794 liet Jassa Singh Ramgarhia bij de Hari Mandir een grote residentie bouwen, een zogenaamde *bunga*. Het is een prachtig oud gebouw met twee 46 meter hoge torens. Beide torens werden in 1984 zwaar beschadigd toen het Indiase leger de Gouden Tempel met geweld ontruimde nadat sikhs zich in het gebouw verschanst hadden. Van de geplande vier torens zijn er uiteindelijk maar twee gebouwd.

Het door Jassa Singh veroverde gebied strekte zich uit tot Delhi. Hij haalde de platte steen onder de troon vandaan waarop de Mogol-keizers werden gekroond en nam hem mee terug naar Amritsar. Hij legde de steen in de Ramgarhia Bunga, waar hij tot op de dag van vandaag te bewonderen is.

Bunga's werden oorspronkelijk door de sikhs gebouwd om zich te verdedigen tegen aanvallen op hun stad. Maar toen de invasies ophielden en de macht van de sikhs toenam, fungeerden de bunga's en residenties steeds meer als een soort hof waar bezoekers werden ontvangen en pelgrims onderdak werd geboden. Elke *misl* had zijn eigen *bunga* en steeds meer rijke en belangrijke mensen lieten er een bouwen. In de loop der tijd kreeg elke gemeenschap in de stad zo zijn eigen *bunga*. In het begin van de negentiende eeuw telde de stad meer dan 70 *bunga's*. De Ramgarhia Bunga is de enige die bewaard is gebleven, de andere zijn afgebroken en vervangen door moderne gebouwen.

De oude *bunga's* speelden een belangrijke rol in het culturele leven. Ze trokken geleerden aan en schrijvers, kunstenaars, musici, artsen en **kalligrafen**. Historici en **theologen** gaven les aan de oever van de vijver en in de tempel. Het was eigenlijk één grote universiteit.

In de twintigste eeuw werd de grond waarop de bunga's waren gebouwd gekocht door het Shiromani Gurdwara Prabandhak Committee dat de zaken van de sikhs regelt. De *bunga's* werden afgebroken en daarmee verdween ook het culturele centrum. **Fresco's** en andere versieringen werden verwoest en het pad om de vijver, de *parakrama*, werd verbreed. Men bouwde een nieuwe vergaderzaal, een ziekenhuis, een paar herbergen en kantoorgebouwen en een keuken om eten voor de gelovigen klaar te maken (zie pagina 25).

Ranjit Singh, de grote bouwer

Maharadja Ranjit Singh was een beroemd sikh-keizer. Hij regeerde van 1799 tot 1839 en was van grote betekenis voor de ontwikkeling van Amritsar. Een groot deel van de huidige stad is door hem gebouwd.

In 1799 veroverde Singh Lahore, destijds de hoofdstad van Punjab. Korte tijd later nam hij Amritsar in, dat voornamelijk bestond uit *katra's* en *bunga's*. Deze werden bestuurd door machtige families die allemaal een eigen leger en eigen belastinginners hadden.

Toen Ranjit Singh de stad veroverd had, plaatste hij haar onder één centraal bestuur. Hij verwoestte alle kleine forten en liet een grote muur om de stad bouwen van naar men zegt meer dan 20 meter breed en 6 meter hoog, met een grote gracht eromheen. In de muur zaten 12 poorten die toegang boden tot de stad. Toen de muur af was liet Sanjit Singh zich in triomf op de rug van een olifant door de stad rijden, waarbij hij een regen van munten liet neerdalen op het toegestroomde volk. Hij nam een bad in de heilige vijver en schonk geld om de Hari Mandir met marmer en vergulde platen te bekleden. Vandaar de naam Gouden Tempel.

Tijdens Singhs regeerperiode kwamen er nog meer *bunga's* bij, met mooie muurschilderingen en spiegelwanden. Sommige waren heel groot. De welvaart nam toe, er werd gehandeld in rijst, verfstoffen en textiel. Binnen de stadsmuren werden prachtige tuinen en pleinen aangelegd. Er kwamen steeds meer ambachtslieden zoals zadelmakers, goud- en zilversmeden, timmerlieden, ivoorbewerkers, schoenmakers. Je kon er sjaals van de fijnste wol krijgen en *jhootis*, prachtig bewerkte schoenen met gekrulde neuzen. Men maakte schitterende metalen voorwerpen en Ranjit Singh liet speciale munten slaan met de namen van de verschillende goeroes.

Ranjit Singh bouwde zijn eigen paleis in het Ram Bagh (Grote Park) dat hij in 1819 had laten aanleggen. Het ontwerpen van parken en tuinen was in die tijd een geliefde bezigheid van Indiase rijken en welgestelden. Bij het ontwerpen van Ram Bagh had Singh zich laten inspireren door de Moslim Shalimar-tuinen in Lahore. Hij liet er een grote gracht en een muur omheen bouwen en in de poort liet hij schietgaten aanbrengen. Midden in het park liet hij een paleis bouwen met een groot, koel, ondergronds vertrek. Dwars door de tuin liep een dubbele rij fonteinen. Het majestueuze paleis liet zien hoe groot Singhs macht en invloed waren in Amritsar.

Amritsar onder Brits bewind

Amritsar ontwikkelde zich gestaag tijdens het bewind van Ranjit Singh. Maar na diens dood was er geen krachtig opvolger en viel het rijk uiteen.

In het begin van de negentiende eeuw was de macht van Engelsen in India sterk toegenomen. Ze dreven sinds 1600 handel met India en deden al het mogelijke om die handel te beschermen. Punjab werd in 1849 als laatste gebied in India onder Brits bestuur gesteld. De Britten lieten regeringsgebouwen neerzetten, wegen en spoorwegen aanleggen om het gebied onder controle te houden en de handelsroutes te beschermen. Ze legden ook irrigatiekanalen aan, waardoor meer landbouwgrond bebouwd kon worden. In Punjab nam de welvaart toe.

▼ Het station van Amritsar.

AMRITSAR.   *The Golden Temple.*

 De Gouden Tempel met de door de Britten gebouwde klokkentoren waarin het Centraal Sikh Museum is gevestigd.

▲ Bungalow gebouwd voor Britse gezinnen die in de koloniale periode in Amritsar verbleven.

De Britten lieten in Amritsar behalve een rechtszaal, een ziekenhuis, een station, een stadhuis en regeringsgebouwen ook huizen bouwen die bungalows werden genoemd. Bungalow is een van oorsprong Indiaas woord dat zich via het Engels naar heel veel andere talen verspreid heeft. De Britten lieten naast het Hari Mandir een klokkentoren bouwen die ooit verwoest werd door sikhs die zich in de Gouden Tempel hadden verschanst. De Punjab zou meer dan 100 jaar onder Brits bewind blijven.

Woordenlijst

fresco Muurschildering met waterverf aangebracht op een verse laag kalk.

kalligraaf Schoonschrijver, iemand die sierlijk geschreven teksten maakt.

theoloog Beoefenaar van of student in de godsdienstwetenschappen.

De Goeroe Granth Sahib

De leerstellingen van de Goeroe Granth vormen voor de sikhs een leidraad voor het kennen van God, die de Ware Goeroe is. Ze zeggen de sikhs hoe ze moeten leven om dichter bij Hem te komen. De leerstellingen worden de *Gurbani* genoemd, de 'Woorden van de Goeroe'.

De Goeroe Granth Sahib is eigenlijk een verzameling religieuze gedichten die worden gezongen, zogenaamde *shabads*. Ze zijn geschreven door de eerste vijf goeroes, Nanak, Angad, Amardas, Ram-das en Arjan, door de negende goeroe en door 36 andere heiligen uit het noorden van India. Sommige gedichten zijn geschreven door hindoes en moslims. Sommige van de dichters waren rijk en machtig, anderen waren arm en van eenvoudige komaf. De sikhs geloven dat alle mensen in staat zijn het woord van God te begrijpen, ongeacht hun godsdienst of maatschappelijke positie. Het boek telt 1430 pagina's met *shabads*.

Het bestond aanvankelijk uit verschillende boeken met gedichten. Goeroe Arjan nam de boeken mee naar Amritsar en maakte er één groot boek van. De boeken werden naar een plek gebracht die nu Ath Sath Tirath heet, dat zoveel betekent als 'de 68 pelgrimsoorden'. Het is een heilige plek. Volgens gelovigen staat één bezoek aan deze plek gelijk aan een bezoek aan 68 andere pelgrimsoorden die verspreid over India liggen.

Toen goeroe Arjan in Ath Sath Tirath aankwam vroeg hij zijn vriend Bhai Gurdas Bhalla of die hem wilde helpen bij het samenstellen van de heilige geschriften. De twee mannen gingen aan de rand van de Ramsar-vijver zitten. De goeroe las de gedichten voor die opgenomen moesten worden in het boek en zijn vriend Bhai Gurdas schreef ze op. Toen het heilige boek klaar was werd het in de Hari Mandir opgeborgen. Baba Boeddha, een wijs man en metgezel van veel goeroes, werd benoemd tot de eerste *granthi* (zie pagina 9).

▼ Sikhs aan het lezen in de Goeroe Granth Sahib, vlakbij Ath Sath Tirath waar de teksten werden opgeschreven.

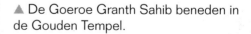

▲ De Goeroe Granth Sahib beneden in de Gouden Tempel.

◀ Gelovige leest op de eerste verdieping van de Hari Mandir in de Goeroe Granth Sahib. De taal waarin de teksten zijn opgeschreven is het Gurmukhi.

De Goeroe Granth Sahib in onze tijd

Tegenwoordig heeft elke sikh-tempel een Goeroe Granth Sahib. Er zijn mensen die er een thuis hebben, maar het is een ontzettend groot boek en volgens de voorschriften moet het in een apart vertrek worden bewaard. Alle exemplaren van de Goeroe Granth Sahib hebben hetzelfde aantal bladzijden en alle *shabads* hebben een vaste plek in het boek.

In de Hari Mandir en andere *gurdwara's* rust de Goeroe Granth Sahib op een troon. Die troon ziet er overal hetzelfde uit. Het is een houten onderstel met kussens die bedekt zijn met een aantal mooi versierde doeken die in een vaste volgorde over elkaar heen gelegd worden. Als het boek niet gebruikt wordt ligt er een kleed overheen, de zogenaamde *rumala*.

Tijdens gebedsdiensten in de *gurdwara* worden delen uit de Goeroe Granth Sahib voorgelezen. Op geregelde tijden vindt er een Goeroe Granth Sahib-lezing plaats waarbij 48 uur onafgebroken uit het boek wordt voorgelezen. Dat is de zogenaamde *akhand path*, de 'ononderbroken lezing'. De verzen worden hardop voorgelezen door gelovigen die elkaar om de twee uur aflossen.

▲ *Chauris* in een winkel in Amritsar. *Chauris* zijn speciale waaiers. Ze zijn een symbool van autoriteit en worden als eerbetoon bij het lezen van de Goeroe Granth Sahib gebruikt. Vroeger werden ze door volgelingen gebruikt om de Goeroe koelte toe te waaien.

Granth betekent 'boek' en een *granthi* is iemand die zorg draagt voor het boek. Tegenwoordig heeft elke sikh-gemeenschap een *granthi* die voor de *gurdwara* (tempel) en voor de Goeroe Granth Sahib zorgt.

Toen Baba Boeddha het boek voor de eerste keer opende in de Hari Mandir was dit de eerste zin die hij las: 'De schepper stond midden in het werk'. Voor Baba Boeddha betekende dit dat het Boek der Gedichten het Woord van God was. In het begin van de achttiende eeuw begonnen sikhs deze woorden te gebruiken in hun dagelijkse gebeden: 'Aanvaardt de Goeroe Granth als het zichtbare lichaam van de Goeroe. De mensen met een zuiver hart kunnen de waarheid (God) vinden in het woord.'

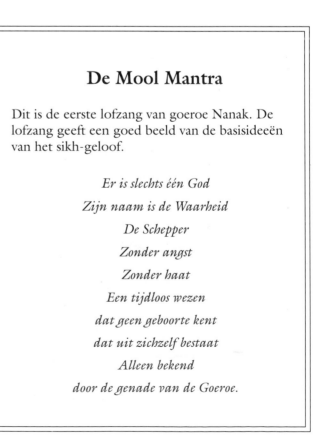

De Mool Mantra

Dit is de eerste lofzang van goeroe Nanak. De lofzang geeft een goed beeld van de basisideeën van het sikh-geloof.

Er is slechts één God
Zijn naam is de Waarheid
De Schepper
Zonder angst
Zonder haat
Een tijdloos wezen
dat geen geboorte kent
dat uit zichzelf bestaat
Alleen bekend
door de genade van de Goeroe.

Een dag in de Hari Mandir

▲ Pelgrims nemen een bad in de heilige vijver alvorens de Hari Mandir te betreden.

▶ De ingang van de Hari Mandir.

Er zijn bijna altijd gelovigen en pelgrims in de Hari Mandir. De eersten komen 's morgens vroeg om twee of drie uur aan en wachten tot de deuren opengaan. Volgens de heilige geschriften van de sikhs is dit het uur van het gebed. Zachtjes worden er lofzangen gezongen tot vijf uur. Dan begint men met de voorbereidingen voor de ontvangst van de Goeroe Granth Sahib. De troon staat al klaar en het heilige boek wordt op een gouden **palankijn** binnengedragen. Voorafgegaan door trompetspelers en schelpblazers wordt het boek naar de eerste verdieping van de Hari Mandir gebracht waar het op de troon wordt gelegd.

Een *granthi* slaat vervolgens het boek op een willekeurige plek open en begint het gedicht dat linksboven staat voor te lezen. Dit gedicht wordt *waq* of *hukam* genoemd. Het is voor de sikhs de leidraad voor de dag die komen gaat.

Nadat het gedicht is voorgelezen wordt het opgeschreven, zodat ook de mensen die later komen weten met welk gedicht de dag begonnen is. Daarna wordt de lezing van het boek voortgezet.

Vervolgens wordt er een speciale ochtendlofzang van goeroe Nanak voorgedragen, waarna gelovigen de *Ardas* ('verzoek') mogen opzeggen, een persoonlijk gebed. Het is een speciaal sikh-gebed dat dateert uit de achttiende eeuw. Het is het enige gebed dat niet uit de Goeroe Granth Sahib komt.

Hierna is het tijd voor het *karah prasad*, of heilig voedsel, dat op een speciale manier bereid is (zie pagina 25). Het is een ritueel dat meestal in de ochtend of avond plaatsvindt, maar in de Hari Mandir wordt het heilige voedsel de hele dag door uitgedeeld. In de Hari Mandir kunnen mensen ook geld geven voor de *karah prasad* die dan namens hen uitgedeeld wordt. Hierbij wordt ook nog steeds de naam van **maharadja** Ranjit Singh genoemd, vanwege de grote schenkingen die hij voor de *karah prasad* heeft gedaan. De rest van de dag wordt er onafgebroken voorgelezen uit de Goeroe Granth Sahib tot het boek uit is.

▼ De Goeroe Granth Sahib wordt op een palankijn naar zijn plek in de Gouden Tempel gedragen.

▼ De *granthi* bedekt de Goeroe Granth Sahib met een speciaal kleed.

Daarna komen er groepjes muzikanten die elk anderhalf uur zingen en spelen. Overdag worden er op vaste tijden gebedsdiensten gehouden. Om tien uur of elf uur 's avonds wordt de dag beëindigd met het voorlezen van de avond*hukam*, het gedicht dat onder aan de pagina staat waarmee men de dag begonnen is. Voor het slapen gaan wordt er nog een gebed gezegd waarna de *granthi* het heilige boek sluit en het met speciale kleden afdekt.

Na het opzeggen van een *Ardas* draagt de *granthi* de Goeroe Granth Sahib eerbiedig op zijn hoofd naar de palankijn. Het boek wordt normaal om 10 uur 's avonds in processie naar de Akal Takhat gebracht. Maar de Akal Takhat, die in 1984 zwaar werd beschadigd, wordt op dit moment gerestaureerd. Daarom wordt het boek nu tijdelijk 's nachts op een andere plaats bewaard.

Als het heilige boek door de toegangsdeuren van de Hari Mandir wordt gedragen gooien mensen er bij wijze van welkom rozenblaadjes overheen. Ondertussen wordt er op de grote drum geslagen die in elke *gurdwara* aanwezig is en wordt de plek waar het boek 's nachts bewaard wordt in gereedheid gebracht. Na een paar gebeden krijgt iedereen van het heilig voedsel en keert men huiswaarts.

In de Hari Mandir begint men aan de voorbereidingen voor de volgende dag. De vloer wordt geveegd en gedweild en er worden andere vloerkleden neergelegd. Voor het vegen worden bezems gebruikt die gemaakt zijn van pauwenveren.

▲ De met zilver bewerkte toegangsdeuren van de Hari Mandir.

Het leven in andere *gurdwara's*

In alle *gudwara's* worden deze handelingen op dezelfde wijze uitgevoerd, zij het dat het er in dorpen en kleine plaatsen iets eenvoudiger aan toe gaat dan in de Hari Mandir waar veel helpers aanwezig zijn. In een dorps*gurdwara* is meestal alleen maar een *granthi* die het boek opent en sluit. Mensen bezoeken de *gurdwara* doordeweeks wanneer het hun schikt. Sikhs geloven dat het beoefenen van godsdienst geen strenge routineuze bezigheid moet zijn, en ze hechten dan ook niet veel waarde aan ceremonies en uiterlijk vertoon. Het belangrijkste is dat men een deugdzaam leven leidt, trouwt en kinderen krijgt.

Woordenlijst

palankijn Draagstoel met verhemelte en gordijnen die met van voren en van achteren uitstekende balken gedragen wordt.

maharadja Titel van een inlandse vorst in India.

Seva: dienstbetoon aan de medemens

▲ *Seva* – het schoonmaken van de marmeren stoep om de vijver van de Hari Mandir.

Sikhs vinden het heel belangrijk dat mensen elkaar helpen en dingen met elkaar delen. Daarvoor hebben ze het begrip *seva*, dat 'dienstbetoon' betekent. In hun *gurdwara* doen ze samen dingen die de hele gemeenschap ten goede komen. Ze vegen de vloer van de tempel, zorgen voor de schoenen die mensen moeten uittrekken voor ze de tempel betreden en maken eten.

Kar seva – het schoonmaken van de vijver

De vijver van de Hari Mandir in Amritsar moet eens in de zoveel tijd schoongemaakt worden. Dat gebeurt met behulp van de zogenaamde *kar seva* dat 'werkdienst' betekent. De vijver kreeg in 1923 en in 1973 een grote schoonmaakbeurt. Volgens de sikhs zouden in 1973 meer dan een miljoen mensen hebben meegeholpen.

Om te beginnen worden vijf mensen gekozen die de leiding hebben over het werk dat gedaan moet worden. Voor de sikhs is vijf een bijzonder getal omdat goeroe Gobind Singh vijf mensen uitkoos voor de Khalsa (zie pagina 9). De vijf die de leiding hebben over de *kar seva* krijgen ieder een gouden schop en een zilveren emmer waarmee ze de vijver moeten uitbaggeren. Sikhs vinden modder niet vies. Arjan, de vijfde goeroe, heeft de modder van de heilige vijver eens vergeleken met saffraan, een heel dure, goudgele specerij.

Als de vijf hun eerste emmers met heilige modder uit de vijver hebben geschept gaan ook de andere aanwezigen meehelpen. In 1973 wilden zoveel mensen helpen dat niet iedereen aan de beurt kwam! Na gedane arbeid krijgt iedereen eten en drinken uit de keuken van de goeroe.

▲ *Seva* – het bereiden van *chappatis* in de keuken van de Bangla Sahib Gurdwara in Delhi.

De keuken van de goeroe

De eerste goeroes gebruikten samen met gasten en bezoekers de maaltijd. Dat was het begin van een lange traditie die inhoudt dat de goeroe bezoekers uitnodigt om mee te eten. Dat gebeurt in de Goeroe Ka Langar, een keuken met een grote eetzaal. Sikhs geloven dat samen eten mensen dichter bij elkaar brengt.

▼ Het uitdelen van voedsel bij de Gouden Tempel.

Alle *gurdwara's* hebben een *langar* waar bezoekers, ongeacht hun afkomst of geloof, op elk gewenst tijdstip een maaltijd kunnen krijgen. Iedereen doet mee aan de bereiding van het eten, dat wordt beschouwd als een offer aan God.

Mensen die de *gurdwara* bezoeken krijgen *karah prasad*, heilig voedsel, aangeboden (zie pagina 22). Dat kan thuis klaargemaakt zijn of in de *langar*. Daarbij moeten speciale rituelen in acht genomen worden. De mensen die het *karah prasad* klaarmaken moeten eerst een bad nemen en moeten hun schoenen uittrekken voordat ze de keuken betreden. De keuken wordt heel goed schoongemaakt, net als alle potten en pannen en andere keukenspullen. Tijdens het koken worden er

▼ Het uitdelen van *karah prasad* in de Hari Mandir.

shabads opgezegd, en voor het eten naar de *gurdwara* wordt gebracht wordt het gezegend met een *kirpan* (zwaard).

Karah prasad is heel zoet en wordt warm gegeten. Het bestaat uit griesmeel, suiker, water en boter. De sikhs maken een buiging als ze het heilig voedsel in ontvangst nemen.

Tempels en heiligdommen

In het oude Amritsar staan nog veel meer oude gebouwen en heiligdommen, ook van christenen, moslims en hindoes. Maar de sikhs vormen er de belangrijkste groep. Ze komen naar Amritsar om te bidden tot God en om hun goeroes en helden te vereren.

▼ Bezoekers voor het heiligdom van Baba Dip Singh, waar dag en nacht een lichtje brandt.

Baba Dip Singh

Bij het heiligdom van Baba Dip Singh brandt altijd een lichtje. Baba Dip Singh was een geleerd man die zijn leven wijdde aan het kopiëren van de Goeroe Granth Sahib, de heilige schrift van de sikhs (zie de pagina's 18-20). Hij leefde in Amritsar, dat toen een moeilijke periode doormaakte. Vanuit Afghanistan vonden er voortdurend invasies plaats door troepen van de moslimkeizer Ahmad Sjah, die door de Punjab optrokken naar Delhi.

In 1757 blies Ahmad Sjah de Hari Mandir op en dempte hij de heilige vijver met ingewanden van dode koeien. De verwoesting van hun heilige tempel en vijver was een grote ramp. Dat daarnaast ook nog de door hen zeer vereerde koeien werden afgeslacht was een enorme belediging voor de sikhs.

▼ Mensen leggen bloemen op de plek waar Baba Dip Singh stierf.

Baba Dip Singh was woedend. Hij wilde de Hari Mandir opnieuw laten opbouwen en verklaarde de moslims de oorlog. Hij reisde de plaatsen in de omgeving af om steun te zoeken voor de oorlog tegen de moslims. Hij wist een leger van 5000 man op de been te brengen en trok op naar Amritsar om Ahmad Sjah te verdrijven. De meeste sikhs sneuvelden onderweg. Baba Dip Singh raakte zwaargewond. Hij wist desondanks Amritsar te bereiken en vocht zich een weg naar de heilige vijver. Daar viel hij dood neer. Elke dag leggen pelgrims bloemen op de plek waar hij stierf en bezoeken zijn heiligdom dat daar vlakbij ligt.

▼ De Baba Atal-toren rijst hoog boven de andere gebouwen uit. De negen verdiepingen staan elk voor een jaar uit het korte leven van Atal Rai.

Baba Atal

In Amritsar staat een toren die hoog boven de andere gebouwen uitrijst. Het is de Baba Atal, genoemd naar Atal Rai, de zoon van goeroe Hargobind. Atal Rai stierf op negenjarige leeftijd en de toren is opgericht ter nagedachtenis aan de geschiedenis van Atal Rai. Volgens de overlevering had Atal Rai een vriendje dat gestorven was weer tot leven gewekt. Maar de goeroes hechtten niet veel waarde aan wonderen en Atals daad kon in de ogen van zijn vader dan ook geen genade vinden. Daarop ging Atal Rai liggen en stierf, als een soort boetedoening voor zijn daad. De hoge toren van Baba Atal heeft negen verdiepingen, een voor elk jaar uit het leven van Atal Rai.

Vijvers en bomen

Sikhs gaan niet alleen naar Amritsar om er tempels te bezoeken. Er zijn nog meer plekken die belangrijk voor hen zijn, waaronder een aantal vijvers. De Ramsar-vijver bijvoorbeeld waar goeroe Arjan de Goeroe Granth Sahib voorlas aan zijn vriend Bhai Gurdas Bhalla (zie pagina 18).

In Amritsar staan ook een paar heel oude bomen die een bijzondere betekenis hebben voor de sikhs. Veel mensen brengen een bezoek aan de boom waaronder goeroe Arjan en Baba Boeddha ooit les hebben gegeven (zie pagina 33), en aan de boom waar Rajani volgens de overlevering haar zieke man achterliet om eten voor hen beiden te gaan zoeken (zie pagina 32).

Nieuwe steden

Het sikh-geloof ontwikkelt zich nog steeds en past zich aan aan de eisen van de moderne tijd. In Beas, vlakbij Amritsar, hebben sikhs, hindoes en anderen een nieuwe nederzetting gebouwd. Het gaat om volgelingen van een religieuze richting die zich Radhasoami noemt. Ze zetten hun religieuze opvattingen in eenvoudige bewoordingen uiteen aan de honderden mensen die Beas jaarlijks bezoeken. De leden van deze groep zorgen zelf voor het bestuur van de nederzetting. Bezoekers worden rondgeleid langs modelboerderijen, klinieken waar ziektes behandeld worden met kruiden en planten en langs een moderne oogkliniek.

▲ Moslims in gebed bij een moskee in Amritsar.

▼ Prachtig bewerkte deur van de Durgiana Mandir in Amritsar.

Veel mandirs

In Amritsar zijn ook veel *mandirs* (tempels). Een van de bekendste is de Durgiana Mandir uit 1921, die erg veel lijkt op de Hari Mandir. Andere mandirs zijn honderden jaren oud, de Sitla Mandir bijvoorbeeld. Mensen met mazelen of waterpokken gaan naar deze tempel om genezing te vragen. Daarnaast zijn er in Amritsar ook een aantal moskeeën en christelijke kerken.

▼ De Saint Paul's Church in Amritsar.

Kunst en architectuur

De Gouden Tempel is beroemd om zijn kunstvoorwerpen en zijn prachtige architectuur. Maar Amritsar kent nog veel meer prachtige religieuze gebouwen en in verschillende stijlen gebouwde huizen.

Ranjit Singh liet de Hari Mandir in het begin van de negentiende eeuw opknappen. Hij liet de tempel bekleden met fraaie marmeren en gouden platen (zie pagina 16). Maar de hoofdstructuur van het gebouw is naar alle waarschijnlijkheid dezelfde als die van de oude tempels. Het grootste deel van het nieuwe gebouw dateert uit de tijd van de *misldars*, die kort na de vernietiging van de tweede tempel met de wederopbouw waren begonnen. Ze hielden zich daarbij aan het ontwerp van de oude tempel. Maar de afwerking en versieringen van de Hari Mandir zijn onmiskenbaar het werk van Ranjit Singh en van de kunstenaars en ambachtslieden die bij de wederopbouw betrokken waren.

De Punjabse bouw- en decoratiestijl uit die tijd wordt de 'Late Mogol' genoemd. Die naam komt waarschijnlijk voort uit het feit dat de meeste kunstenaars en ambachtslieden aan het eind van de 18de eeuw voor vorsten van het uiteenvallende moslimrijk werkten. Toen het rijk definitief

▲ Vergulde buitenmuren van de Hari Mandir.

▼ De Hari Mandir moet voortdurend onderhouden worden. Hier zijn steenhouwers bezig met het bewerken van stukken marmer.

uiteenviel vertrokken ze naar een ander deel van de Punjab om daar hun vaardigheden aan te bieden. Een aantal van hen vond werk aan de vorstenhoven in de bergen van Punjab. Anderen gingen naar Ranjit Singh, die veel ambachtslieden in dienst nam, waaronder veel sikhs en hindoes.

De moslimarchitecten namen islamitische bouwtechnieken mee naar India. De vele koepels en bogen zijn daar de meest opvallende voorbeelden van. De gebouwen vertonen ook veel kenmerken van de veel oudere hindoe-bouwstijl. De mengeling van hindoe- en islambouwkunst zorgde voor een explosie van schoonheid, waarvan bezoekers tot op de dag van vandaag kunnen genieten.

De Hari Mandir

Een lange, brede brug leidt naar de Gouden Tempel die midden in de heilige vijver ligt. Halverwege de brug bevindt zich een zonnewijzer. De tempel heeft een grote koepel in de vorm van een lotusbloem, die wordt omgeven door een aantal kleinere koepels en kleine parapluvormige kiosken. Het bovenste deel van het gebouw is bedekt met een laagje glimmend goud. Men heeft

▶ De *shish mahal*-techniek van stukjes spiegelglas die in de muur verwerkt zijn.

▲ Het plafond op de eerste verdieping van de Hari Mandir schittert van het goud en de prachtige kleuren.

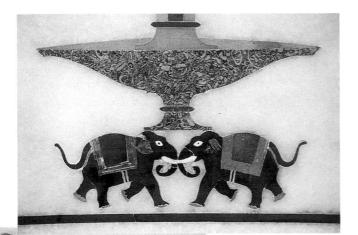

▲ Olifanten ingelegd in de marmeren muur.

◀ In marmer ingelegde fruitschaal met fruit en mes.

ooit het plan gehad om de hele tempel te bedekken met een laagje goud **ingelegd** met edelstenen. Maar men vreesde dat het goud gestolen zou worden, dus plaatste men koperen platen tegen de muren die vervolgens werden verguld. Voor het vergulden van de koepel werd meer dan honderd kilo zuiver goud gebruikt.

De lagere gedeeltes van de buitenmuur zijn bedekt met marmer en versierd met afbeeldingen van herten, olifanten, vogels, vlinders en andere dieren, en van planten en fruit. De dieren symboliseren de problemen waar de mens zich op aarde voor gesteld ziet en het fruit en de bloemen staan voor de rijkdom van het leven.

Goud en glas

De grote zaal van de Hari Mandir is versierd met **filigrein**werk en **email** in goud. Boven de zaal is een kamer die je bij binnenkomst tegemoet glinstert. In de muur zitten duizenden stukjes

▲ Een fresco in Baba Atal die de jonge goeroe Nanak voorstelt in een wei vol buffels (zie pagina 7).

gekleurd spiegelglas. Deze techniek staat bekend als *shish mahal*, dat 'spiegelpaleis' betekent.

Houtsnijwerk en pleister

In de Hari Mandir en in huizen in het oude deel van Amritsar zijn veel deuren en **lateien** versierd met prachtig houtsnijwerk. Ingelegd hout en ivoor zorgen voor schitterende effecten.

Ook zijn er veel decoraties te zien die gemaakt zijn van **pleister**. Het mengsel van gips en water kon maar in kleine hoeveelheden tegelijk worden aangemaakt want het wordt heel snel droog en hard en kan dan niet meer verwerkt worden. De zachte pleister werd eerst op de muur gesmeerd en daarna gemodelleerd in bloem- en lettervormen. Als de pleister droog was werden er kleuren op aangebracht.

Fresco's

Fresco's zijn schilderingen die met waterverf worden aangebracht op een verse laag kalk. Deze techniek was ooit heel populair in Amritsar. Veel fresco's zijn verdwenen onder nieuwe lagen verf of stuc, maar in de Hari Mandir zijn nog steeds mooie fresco's van bloemen en van goeroe Gobind Singh

te zien. De muurschilderingen in de Akal Takhat werden bij de onlusten van 1984 vernield, maar in de Baba Atal is een aantal fresco's bewaard gebleven. Het aanbrengen van de fresco's gebeurde volgens een bepaalde techniek waarbij de verf als het ware in de muur geklopt werd. Deze techniek wordt tegenwoordig niet meer gebruikt.

Woordenlijst

email Dun glasachtig laagje ter versiering aangebracht op metalen, glazen en stenen voorwerpen en keramiek.
filigrein Fijn zilver- en goudwerk vervaardigd uit koordvormig gedraaide en daarna geplette zilver- of gouddraden
inleggen Op kunstvaardige wijze stukjes andersgekleurd hout, glas, ivoor en dergelijke leggen in de oppervlakte van een voorwerp.
latei Draagbalk die dient tot horizontale overspanning boven een deur of venster.
pleister Kalkmengsel waarmee muren besmeerd worden.

Legenden en tradities

Er bestaan veel tradities die te maken hebben met de stichting van Amritsar en met de heiligdommen die er in de buurt liggen (zie pagina's 11-12). Talloos zijn de verhalen over de goeroes en hun vrienden.

Rajani uit Patti

Over de 'Vijver der Wonderen' waaraan Amritsar gebouwd is bestaan heel veel verhalen. Het bekendste en populairste is waarschijnlijk het verhaal over het meisje Rajani (spreek uit Rainie) uit het plaatsje Patti. Haar vader was daar magistraat en belastingontvanger en genoot veel aanzien. Hij had vijf dochters van wie er vier op jonge leeftijd trouwden en het huis verlieten. Rajani, de jongste, was niet getrouwd.

Op een dag maakten ze met zijn allen een uitstapje. Op de terugweg ontmoetten ze een paar heiligen die Gods Naam prezen. De vier getrouwde dochters sloegen geen acht op hen en liepen door naar huis. Maar Rajani bleef staan luisteren naar het gezang van de heiligen, een loflied van goeroe Nanak dat ging over de Liefde van God voor de mensen.

Toen ze thuiskwam vertelde ze haar zussen over God die hen liefhad. Rajani's vader reageerde woedend. Hij vertelde zijn dochters dat hij degene was die van hen hield en dat hij degene was die hen alles gegeven had. Maar Rajani ging ertegenin en zei dat alles een geschenk van God was en dat God van iedereen houdt en iedereen beschermt.

Na een tijdje kwam er een man naar Patti die kreupel was. Hij was melaats, een vreselijke ziekte. Rajani's vader huwde haar uit aan de melaatse man en stuurde vervolgens beiden zonder geld of huwelijksgeschenk weg.

Rajani bad God urenlang om hulp en voedsel. Ze wordt vaak afgebeeld terwijl ze een wagen waarin haar zieke echtgenoot ligt, voortduwt. Sommigen zeggen dat ze hem in een mand meedroeg. De arme drommel smeekte zijn vrouw om met hem op bedevaart te gaan naar de heilige plaatsen, waar hij genezing hoopte te vinden. Dus reisde Rajani heel India met hem door, hopend op een wonder.

Op een dag kwam het echtpaar bij een vijvertje dat goeroe Amar-das wilde laten uitgraven tot een veel grotere vijver. Rajani liet haar man achter onder een boom die met zijn takken over de vijver hing en ging op zoek naar eten. Toen ze weg was zag de zieke man twee grote zwarte kraaien vechten om een stuk brood dat uiteindelijk in de vijver terecht kwam. De vogels doken het water in en toen ze weer boven kwamen waren ze veranderd in zwanen. Toen hij dat zag liet de man zich in het water van de vijver zakken tot hij helemaal onder was. Toen hij weer boven kwam was hij genezen en zag zijn voorheen zo geschonden lichaam er weer gaaf uit. Op een vinger na. Daar had hij zich mee vastgehouden aan een tak van de boom toen hij zich in het water liet zakken.

Hij wachtte tot zijn vrouw terugkwam. Maar die herkende hem natuurlijk niet en wilde niets van hem weten. Mensen uit een naburig dorp raadden Rajani aan om naar goeroe Amar-das te gaan en hem om hulp en raad te vragen. Rajani vertelde de goeroe het hele verhaal en zei dat ze bang was voor de vreemde man die zei dat hij haar man was.

De goeroe luisterde geduldig tot ze het hele verhaal verteld had. Hij zei haar dat de vijver een zeer heilige plaats was en dat iedereen die erin baadde genezen zou worden. De goeroe stelde voor om de man te vragen de vinger die melaats gebleven was in het water van de vijver te houden. De man deed wat ze hem vroeg. Toen hij de vinger uit het water haalde zagen ze dat ook die helemaal genezen was.

Rajani kon haar vreugde niet op. Haar man hielp de goeroe bij wijze van dank met bouwwerken die uitgevoerd moesten worden. En wat Rajani's vader betreft, die gaf al zijn rijkdommen weg en werd een van de trouwste volgelingen van de goeroe.

Geen pelgrim verlaat Amritsar zonder bij de boom geweest te zijn die nog steeds aan de rand van de vijver staat. Hij wordt Dukhbhanjani Ber genoemd, 'de Ber-boom die alle verdriet wegneemt.'

Baba Boeddha

Baba Boeddha mocht veel goeroes tot zijn vrienden rekenen. Er zijn talloze verhalen over hem. Als kleine jongen zat hij vaak naar de lessen van goeroe Nanak te luisteren. De goeroe was heel verbaasd dat zo'n jong ventje zo aandachtig naar hem zat te luisteren. Hij zei tegen de jongen dat iemand van zijn leeftijd beter buiten kon gaan spelen en op tijd naar bed moest gaan in plaats van naar een goeroe te zitten luisteren. De jonge Baba Boeddha antwoordde daarop dat het hem was opgevallen dat bij het aansteken van een vuurtje de kleinste takjes het eerst vlam vatten. En dat volgens hem de takjes voor jongetjes zoals hij stonden en dat hij jong zou sterven. En dat het daarom belangrijk voor hem was om goed naar de goeroe te luisteren.

Maar het jongetje leefde heel lang en bereikte een zeer hoge leeftijd. Hij genoot zoveel aanzien dat hem werd opgedragen om vijf goeroes te vinden. Volgens de overlevering lukte het hem de derde goeroe, Amar-das, te vinden door diens paard los te laten en het te volgen toen het naar de stal bij het huis van de goeroe liep. Toen Baba Boeddha bij het huis van de goeroe aankwam zag hij een briefje op de voordeur waarop stond:

▲ Baba Boeddha geeft advies aan de vrouw van goeroe Arjan.

▼ De Ber-boom waar Baba Boeddha onder gezeten zou hebben.

'Wie ook mijn deur opent, ik ben niet uw goeroe en U bent niet mijn sikh!' Baba Boeddha liet zich hierdoor niet uit het veld slaan. Hij vond dat Amardas de volgende goeroe moest worden. Maar hij was heel beleefd en wilde niet door de deur met het briefje naar binnen gaan. In plaats daarvan baande hij zich dwars door de buitenmuur een weg naar binnen!

Festivals en feestdagen

Overal waar sikhs wonen worden door hen feesten en festivals georganiseerd. Sommige feesten vallen samen met oude hindoe-feesten, andere worden gehouden op de geboorte- en sterfdata van de tien goeroes. Dat zijn de zogenaamde *gurpurbs*. Veel sikhs herdenken ook de dood van sikh-martelaren. En dan zijn er ook nog de familiefeesten.

Op de meeste Indiase feesten is er ook een soort markt, de *mela*. Daar is van alles te koop. Er worden wedstrijden gehouden en religieuze en politieke bijeenkomsten georganiseerd. Tijdens de *gurpurbs* zijn honderden mensen op de been om de Goeroe Granth Sahib te zien die in een plechtige optocht door de straten wordt gedragen. In de tempel wordt een *akhand path* gehouden waarbij ononderbroken wordt voorgelezen uit de Goeroe Granth Sahib (zie pagina 20). En iedereen gaat naar de *langar* om er samen met andere sikhs te eten (zie pagina 25).

Het Vaisakhi-feest

De goeroes riepen de sikhs op om de drie belangrijkste hindoefeesten, Vaisakhi, Holi en Diwali, samen te vieren. De goeroes zorgden ervoor dat deze feesten voor de sikhs een bijzondere betekenis kregen.

Volgens de sikh-kalender vindt Vaisakhi plaats op nieuwjaarsdag, in het midden van april. Het wordt vlak voor de oogsttijd gehouden en is bedoeld als Dankzegging aan God. Het heeft voor de sikhs een speciale betekenis omdat goeroe Gobind Singh op die dag in 1699 de leden van de eerste Khalsa uitkoos (zie pagina 9). Tegenwoordig treden nieuwe leden vaak op nieuwjaarsdag toe tot de Khalsa.

Vaisakhi is met name in Amritsar een belangrijk feest. In de loop van de 18de eeuw kwamen steeds meer sikhs naar Amritsar om het te vieren. Talloze pelgrims begeven zich op de ochtend van Vaisakhi naar de Hari Mandir. De stroom pelgrims komt al ruim voor het ochtendgloren op gang en houdt tot laat in de avond aan.

In Jallianwalla Bagh, een park even ten oosten van de Gouden Tempel, worden politieke bijeenkomsten gehouden. In 1919 werden honderden Indiërs die er nieuwjaar vierden in koelen bloede door de Britten vermoord.

▼ Een sikhmeisje houdt tijdens een bijeenkomst op Vaisakhi een vurig pleidooi voor haar geloof.

▶ Sikhs komen bijeen in Anandpur voor het Hola Mohalla feest.

De Britten waren destijds in India aan de macht en oordeelden dat de sikh-bijeenkomsten een bedreiging vormden voor het Britse bestuur. Tegenwoordig wordt er in het Jallianwalla Bagh een *mela* gehouden. Er worden kamelen, geiten en andere dieren verhandeld en iedereen viert nog een keer feest voordat de oogst begint.

Hola Mohalla (Holi)

Voor de hindoes in Amritsar en andere delen van India is Holi het feest van de lente, die de mensen weer nieuwe krachten geeft. Iedereen is vrolijk. Mensen spetteren elkaar nat met gekleurd water en trekken daarna hun mooiste kleren aan voor het feest.

Goeroe Gobind gaf ook dit feest een speciaal sikh-tintje. Het werd de Dag van de Training voor de sikh-soldaten. Er werden veldslagen nagespeeld en wedstrijden gehouden in paardrijden en zwaardvechten. De goeroe gaf het feest de naam *Hola Mohalla*, dat betekent 'aanval en plaats van de aanval'. Tegenwoordig worden er alleen in de stad Anandpur ten oosten van Amritsar nog de traditionele wedstrijden gehouden, onder meer in worstelen.

▲ Britse sikhs trekken op Vaisakhi in optocht door de straten van Londen.

Diwali

Diwali wordt in oktober en november gevierd en is zowel voor sikhs als voor hindoes heel belangrijk. Er bestaan veel verhalen over dit feest. De hindoes vieren het feit dat de beroemde koning Ram en koningin Sita na veel avonturen, ontberingen en gevechten terugkeerden naar hun koninkrijk.

▼ Sikh met lans tijdens Hola Mohalla.

Met Diwali wordt gevierd dat de godin Lakshmi naar de aarde komt en de mensen voedsel en geluk brengt, waarbij het licht triomfeert over de duisternis en het goed over het kwaad.

Met Diwali herdenken de sikhs dat goeroe Hargobind gevangen werd genomen door de Mogol-keizer Jehangir. Toen men aanbood hem vrij te laten vroeg hij of zijn medegevangenen ook vrijgelaten zouden worden. Hij kreeg ten antwoord dat hij alle gevangenen die hem bij zijn kleding vast wisten te houden mee uit de gevangenis mocht nemen. Daarop liet de goeroe een speciale mantel met lange linten naar de gevangenis brengen. Het lukte 52 gevangenen om de mantel vast te houden en zo hun vrijheid te verwerven.

Tijdens Diwali ontsteken zowel hindoes als sikhs olielampjes van gebakken klei. De lampjes worden overal in huis neergezet, en buiten wordt straatverlichting met gekleurde lampjes opgehangen. Met Diwali geven mensen elkaar snoepjes en andere cadeautjes, en 's avonds wordt er vuurwerk afgestoken.

Geboorte en dood

In Amritsar worden de verjaardagen van goeroe Nanak, goeroe Ram-das en goeroe Gobind Singh op feestelijke wijze gevierd, net als de dag waarop de Goeroe Granth Sahib voor het eerst de Hari

▼ Plechtige opening van een nieuwe sikh-tempel in Kenia.

Mandir werd binnengedragen (zie pagina 18).

Op al deze dagen vindt er een *jalau* plaats, een schitterende show. De schatten van de Gouden Tempel worden tentoongesteld en de zilveren deuren van de Hari Mandir worden vervangen door gouden. Er wordt een enorme hoeveelheid voedsel bereid voor de toegestroomde pelgrims, de tempel wordt versierd met lichtjes en 's avonds is er een groot vuurwerk.

Vragen en opdrachten

1. Waarom is het belangrijk dat sommige feesten zowel door sikhs als door hindoes gevierd worden? Welk feest zou je zelf wel eens willen meemaken? Waarom?

2. Diwali is het Feest van het Licht. Ken je nog meer (religieuze) feesten waarbij licht een rol speelt?

▲ Tijdens Diwali wordt ook de martelaar goeroe Tegh Bahadur herdacht.

▼ Sikhs tijdens een huwelijksfeest, dat in huiselijke kring gevierd wordt.

De omgeving van Amritsar

Amritsar werd gebouwd in een van de rijkste delen van India. In de loop der eeuwen hebben zich er verschillende etnische en religieuze groeperingen gevestigd. De stad ligt aan een oude handelsroute naar China en werd veelvuldig geplunderd door binnenvallende volken uit Afghanistan, Centraal-Azië en Perzië: De handelaren en plunderaars lieten hun sporen achter in de oude hindoe-cultuur die ondanks alles wist te overleven. In meer recente tijden zijn daar cultuurelementen uit Amerika, Canada en andere westerse landen waar sikhs zich de afgelopen honderd jaar gevestigd hebben, aan toegevoegd. Al deze invloeden zijn terug te vinden in de rijke cultuur en traditie van Amritsar.

In Amritsar vind je behalve prachtige oude gebouwen ook moderne winkels, kantoorgebouwen en flats. Oud en nieuw bestaan vreedzaam naast elkaar, want sikhs hechten niet alleen grote waarde aan tradities maar ook aan

◀ Tekenles op een rooms-katholieke school in Amritsar.

▼ Een van de vele toegangspoorten van de stad.

ontwerp van Ram Singh, een bekende architect die ook een vertrek inrichtte voor de Engelse koningin Victoria. De stad telt ook een aantal ziekenhuizen en klinieken. In 1977 werd ter gelegenheid van 400 jaar Amritsar een nieuw ziekenhuis geopend met een apart centrum voor de behandeling van kankerpatiënten.

Ontspanning

In Amritsar wordt veel aan sport gedaan. Vooral hockey, cricket en voetbal zijn heel populair.

▲ Na school lekker tollen op straat.

vooruitgang. Veel mensen wonen in ruime, nieuwe en modern ingerichte huizen. Want Amritsar is een welvarende stad en dat kun je goed zien aan de manier waarop mensen wonen.

De stad telt een groot aantal overheidsgebouwen, een universiteit, de Goeroe Nanak Universiteit en scholen als het Khalsa College dat in 1894 werd gesticht en gebouwd werd naar een

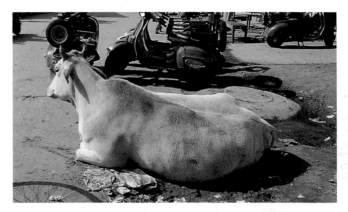

▲ Een heel gewoon straatbeeld in Amritsar.

▼ Schoenmakers aan het werk.

Na het winkelen kun je lekker eten in een café, restaurant of hotel en er is een prachtige nieuwe ijssalon waar je de meest uiteenlopende smaken kunt krijgen.

Amritsar heeft net als veel andere steden schitterende tuinen en parken waarvan Jallianwalla Bah het bekendste is. In dit park werden bij rellen in 1919 honderden sikhs gedood door het Britse leger. In 1960 werd er een monument opgericht, de Vlam van de Vrijheid, ter nagedachtenis aan de mensen die toen door de Britten zijn gedood.

▲ Schoenwinkel met rijen glimmende sandalen.

Andere populaire sporten zijn worstelen en *kabbadi*, een lokale sport. Vaak zie je vliegers boven de stad, want vliegeren is een traditionele en zeer geliefde vorm van vrijetijdsbesteding. Mensen proberen elkaar de loef af te steken en deinzen er niet voor terug om stukjes glas aan de staart van hun vlieger te binden waarmee ze dan het touw van een andere vlieger proberen door te snijden!

In Amritsar kun je uitgebreid winkelen in het moderne winkelcentrum, op de Katra Jaimal Singh en op oude markten als de Bazaar Mai Sewan. Je kunt er van alles kopen, van prachtige sari's en traditionele Indiase schoenen met gekrulde neuzen tot de nieuwste elektronische apparatuur.

▼ Kogelgaten in een muur in het Jallianwalla Bagh park.

▼ Een van de vele prachtige tuinen in Amritsar.

▲ Het voeren van een buffel in een veld buiten Amritsar.

Eten in Amritsar

Amritsar wordt omringd door vruchtbare landbouwgrond. De wegen naar de stad leiden door welige groene weiden en gele mosterdvelden. Het land wordt doorsneden door irrigatiekanalen. Dammen in de heuvels zorgen voor water op de velden en voor elektriciteit voor de stad. De vruchtbare grond is uitstekend geschikt voor grazende dieren en het verbouwen van voedselgewassen. De buffels, koeien, kippen en varkens voorzien de inwoners van Amritsar van melk en vlees. Er wordt een grote verscheidenheid aan granen en groenten verbouwd, en vruchten als sinaasappelen, mango's en bananen worden naar de drukke markt in Amritsar gebracht om daar te worden verkocht aan de stadsbewoners.

▶ Een winkel met kruiden en specerijen in Amritsar.

▲ Een maaltijd met kruidige sauzen, yoghurt en salade.

Een goede manier om de dag te beginnen in Amritsar is het nuttigen van heerlijk vers gebakken brood, *paratha*, met gebakken eieren en kruidige ingelegde groenten. Als diner eten veel sikhs alleen groentegerechten, maar anderen genieten van rood vlees, kip en vis. Bij de hoofdmaaltijd worden meestal verse groenten gegeten. Een favoriet gerecht is mosterdbladeren of spinazie, met veel boter en maïsbrood. Er wordt ook vaak rijst gegeten, maar de meeste mensen geven de voorkeur aan *chappati*, een rond, plat brood. De maaltijd wordt vaak besloten met karnemelk en zoete rijstpudding, op smaak gebracht met amandelen, vruchten en kardemom.

Veranderingen

De sikh-godsdienst is in de loop der tijd, en met name in de laatste honderd jaar, in een aantal opzichten veranderd. Amritsar heeft daarin vaak een belangrijke rol gespeeld omdat veel verschillende sikh-groeperingen hier zijn ontstaan en groot zijn geworden.

De sikhs onder Brits bestuur

De Britse aanwezigheid in India heeft in Amritsar voor grote veranderingen gezorgd. Aan de ene kant werden veel Indiërs door de Britten slecht en vaak ook wreed behandeld. Maar aan de andere kant werden mannen uit Punjab opgenomen in het Britse leger. De koloniale machthebbers brachten de stad ook welvaart, introduceerden nieuwe technologieën en stichtten scholen. Dat stelde de sikhs in staat om een goede opleiding te volgen en geld te verdienen, maar zorgde er ook voor dat sommigen diep in de schulden raakten.

Door al deze veranderingen ontstond er een nieuwe groepering sikhs die zich Akali's noemden, naar de beroemde sikh-strijders uit de achttiende eeuw. Ze vonden dat alle sikhs moesten leven volgens de voorschriften van de Khalsa (zie pagina 9) en zich niet door geld moest laten corrumperen. Ze vonden ook dat de *gurdwara's* beter beheerd moesten worden. In 1920 werd aan hun wensen tegemoet gekomen en werd het Shiromani Gurdwara Prabandhak Committee opgericht dat toezicht moest houden op het beheer van alle gebedshuizen.

▼ Uitzicht over de heilige vijver op de Hari Mandir.

De sikhs en het moderne India

De strijd voor hervormingen, het streven naar onafhankelijkheid en de opdeling van India in India en Pakistan maakten van de sikhs een zeer politiek bewuste groepering en dat is altijd zo gebleven, ook na de onafhankelijkheid van India in 1947. In de jaren zestig van de twintigste eeuw streefde de politieke partij van de sikhs, de Akali Dal, naar een eigen deelstaat voor alle mensen die Punjab spraken. Die strijd hebben ze met succes gevoerd, maar er zal nog veel strijd geleverd moeten worden voordat hun wensen op economisch, religieus en politiek gebied allemaal in vervulling zijn gegaan.

De strijd van de sikhs leidde in juni 1984 tot een bloedbad toen het Indiase leger de Hari Mandir en ernaast gelegen gebouwen met geweld ontruimde. Daarbij vielen 2500 doden. In 1989 werd de Indiase premier Indira Ghandi door sikh-lijfwachten vermoord, waardoor de bestaande tegenstellingen tussen de verschillende religieuze groeperingen in India nog verder werden aangescherpt.

De in 1984 beschadigde gebouwen in Amritsar zijn inmiddels weer opgeknapt en kunnen weer met recht de parels van de Punjab genoemd worden. De rust is weergekeerd en iedereen kan zich weer vrijelijk over straat begeven. De toekomst ziet er voor Amritsar beter uit dan ooit. Sikhs voeren vrede, waarheid, rechtvaardigheid en gelijkheid hoog in hun vaandel, en het is voor de heilige stad Amritsar te hopen dat het pad van de toekomst een pad van vrede, waarheid, rechtvaardigheid en gelijkheid zal zijn.

Belangrijke gebeurtenissen

Hieronder volgt een aantal belangrijke gebeurtenissen uit de laatste 550 jaar.

1469 Geboorte van goeroe Nanak, de eerste sikh-goeroe, in Nankana Sahib in Pakistan.

1526-1858 India wordt geregeerd door de Mogols.

1539 Goeroe Angad wordt de tweede goeroe.

1552 Goeroe Amar-das wordt de derde goeroe. Hij sticht Amritsar bij de 'vijver der wonderen.'

1574 Goeroe Ram-das wordt de vierde goeroe. Hij laat de vijver uitgraven en breidt Amritsar verder uit.

1581 Goeroe Arjan wordt de vijfde goeroe. Hij laat het pad om de vijver verharden en brengt alle religieuze gedichten bij elkaar die tezamen de Goeroe Granth Sahib (de sikh-bijbel) vormen.

1606 Goeroe Hargobind wordt de zesde goeroe. Bouw van de Akal Takhat.

1644 Goeroe Har Rai wordt de zevende goeroe.

1661 Goeroe Har Krishan wordt de achtste goeroe.

1664 Goeroe Tegh Bahadur wordt de negende goeroe.

1675 Gobind Singh wordt de tiende en tevens laatste goeroe.

1708 De laatste goeroe sterft en bepaalt voor zijn dood dat de Goeroe Granth Sahib voortaan de belangrijkste autoriteit van de sikhs zal zijn.

1757 Keizer Ahmad Sjah en het Afghaanse leger blazen de Hari Mandir op.

1770 Restauratie van de Hari Mandir.

1776 Voltooiing van de vijver, de Hari Mandir, de brug en toegangspoort tot de Hari Mandir.

1794 De grote sikh-leider Jassa Singh Ramgarhia, laat een grote *bunga* (residentie) bouwen in Amritsar. Later worden er nog meer *bunga's* gebouwd in Amritsar.

1799 De grote sikh-keizer Maharadja Ranjit Singh neemt Lahore in.

1802 De Hari Mandir krijgt marmeren en vergulde platen. De stad Amritsar wordt uitgebreid.

1839 Dood van Maharadja Ranjit Singh.

1846 Strijd tussen sikhs en het Britse leger.

1849 Punjab komt onder Brits bestuur.

1894 Stichting van het Khalsa College.

1919 Honderden sikhs in het Jallianwalla Bagh gedood door het Britse leger.

1920 Oprichting van het Shiromani Gurdwara Prabandhak Committee voor het beheer van de *gurdwara's*.

1923 De vijver van de Hari Mandir krijgt een grote schoonmaakbeurt.

1947 India wordt opgedeeld in India en Pakistan. Amritsar ligt in India, maar andere heilige plaatsen die verbonden zijn met goeroe Nanak komen op Pakistaans grondgebied te liggen, waar voornamelijk moslims wonen. India wordt onafhankelijk.

1973 De vijver van de Hari Mandir krijgt opnieuw een grote schoonmaakbeurt.

1984 Het Indiase leger ontruimt met geweld de Hari Mandir, waarbij 2500 doden vallen. Er volgt een periode van grote onrust.

1990 en later De rust keert weer in Amritsar. De beschadigde gebouwen worden hersteld.

Register